Pour être tenu(e) au courant de nos publications,
envoyez-nous vos coordonnées :
La Plage
Rue du Parc
34200 Sète
Tél. : 04 67 53 42 25
Fax : 04 67 53 49 05
edition@laplage.fr
www.laplage.fr

© Éditions La Plage, 2004
ISBN 2-84221-112-X

Quinoa

Du même auteur, aux éditions La Plage

Retrouvez l'actualité de Valérie sur www.biogourmand.com

Imprimé sur papier recyclé

collection *Manger autrement*

Quinoa

Valérie Cupillard

*Sauf mention contraire, les proportions
sont prévues pour 4 personnes.*

Mesures

Il convient de choisir un verre pour mesure qui correspond à
15 cl.

1 verre de quinoa = 120 g
1 verre de quinoa cuit = 80 g

Cuisson

Les temps de cuisson au four et l'indication du thermostat
correspondent à un four électrique de 35 litres. La corres-
pondance thermostat / degrés Celsius est de 30° (thermostat
6 = 180°). Sauf mention contraire, les recettes ne nécessitent
aucun préchauffage du four à vide.
Les temps de cuisson des recettes vapeur ou à l'étouffée,
sont donnés de manière indicative pour une réalisation en
cocottes ou sauteuses " à fond épais " prévues pour des cuis-
sons douces – afin de préserver vitamines et minéraux.

Sommaire

Consignes

Tous les ingrédients utilisés dans les recettes se trouvent aisément en magasins ou coopératives bio. La levure utilisée n'est pas la traditionnelle « levure chimique », il s'agit d'une poudre levante sans gluten et sans phosphates à base de fermentation de raisin et d'amidon de maïs par exemple.

Pour certaines recettes utilisant de la margarine, le choix se porte sur des margarines végétales non hydrogénées.

Les huiles essentielles bio employées dans certaines recettes notamment pour parfumer les desserts doivent être utilisées à dose infime.

Nota - Dans mes recettes, j'ai choisi d'éviter les produits laitiers au profit de toutes les alternatives végétales. Mais rien n'empêche leur réussite si vous choisissez de mettre du lait de vache dans les mêmes proportions que les indications données pour le « lait » végétal.

Introduction

Petite histoire du quinoa

Les Andes sont le berceau du quinoa. Les Incas le cultivaient sur des terrains en pentes aménagés en terrasses, à plus de 3000 mètres d'altitude, en recueillant l'eau des glaciers grâce à des canaux souterrains et des aqueducs. C'était « le riz des Incas »... Une alternative fabuleuse au maïs, l'un des aliments de base mais dont la culture à cette altitude était délicate et exigeait un système d'irrigation plus compliqué.

Avec les conquistadors espagnols, la culture du quinoa par les indiens fut quasiment supprimée. Le quinoa - non panifiable - n'avait que peu d'intérêt dans leurs coutumes alimentaires européennes d'autant qu'ils apportaient avec eux la culture du blé, du seigle... et l'élevage de moutons, de bœufs. En supprimant sa culture, les conquistadors tentaient également d'arrêter le culte que vouaient les Incas à cette petite graine sacrée.

La culture du quinoa aujourd'hui

Grâce au respect des paysans andins pour leur terre nourricière dont le quinoa était le trésor, cette petite graine a continué d'être cultivée pour arriver à une époque où l'on s'intéresse fortement à ses qualités nutritionnelles.

Lorsque les plants de quinoa sont à maturité, les champs se couvrent de tons orangés et rouges, les graines de quinoa apparaissent dans des grappes montantes qui forment des bouquets colorés. Plusieurs variétés existent et le quinoa a la particularité de supporter des variations climatiques intenses. Adaptée au rude climat de l'Altiplano bolivien, la petite graine a toutes les ressources en elle pour germer dans ces conditions. La graine est protégée naturellement par une saponine, une fine couche très amère. Pour l'enlever on procède alors sur place à une opération de désaponification qui consiste notamment en un soigneux lavage. Ainsi débarrassée de cette protection, on peut consommer la graine de quinoa.

Si la variété de quinoa que l'on trouve le plus généralement en magasins bio est le quinoa dont la petite graine est blonde, on peut aussi en découvrir d'autres, plus petites, de couleur rouille ou marron foncé.

La richesse nutritionnelle du quinoa

Bien que son utilisation culinaire soit similaire à celle des céréales, cette plante n'appartient pas à la famille des graminées (comme la plupart des céréales), elle s'apparente plutôt à la famille des épinards et des betteraves. Les petites graines rondes de quinoa sont très riches en principes nutritifs, elles contiennent un taux élevé de magnésium, de fer, des vitamines E et C, des acides gras insaturés et essentiels (comme les fameux oméga 3)... et tous les acides aminés essentiels sont présents. Cette teneur en protéines lui confère d'ailleurs une place de choix dans la cuisine végétarienne.

Très digeste et ne contenant pas de gluten, il est bien accepté par les personnes qui connaissent des difficultés digestives ou des allergies alimentaires. Pour ceux qui doivent contrôler leur taux de cholestérol, c'est un aliment à privilégier car ses acides gras insaturés et ses fibres lui confèrent des propriétés hypocholestérolémiantes.

Le quinoa contient des acides aminés indispensables au bon développement du cerveau et du système nerveux des enfants, de la lysine pour la croissance. C'est un aliment également conseillé pour les tout-petits et les nourrissons.

Sa composition en fait un aliment de choix pour toutes les personnes dont les besoins sont accrus en protéines, minéraux et vitamines : sportifs, adolescents, femmes enceintes ou allaitantes (le quinoa est galactogène)... Sa teneur en vitamine B, en calcium, en magnésium conviendra parfaitement pour aider à combler les carences des nerveux et stressés !

Les graines de quinoa

Le quinoa dans les salades

Pour préparer le quinoa en salade, vous pourrez à peine réduire le temps de cuisson habituel pour le laisser bien gonfler hors du feu et à couvert, ce qui vous permettra d'avoir une graine cuite à point, agréable à mélanger avec la sauce et la garniture de votre choix.

Souvent, il est même mieux de l'avoir cuit la veille, ainsi il a gonflé et refroidi et se prépare en un clin d'œil en salades : de la niçoise au taboulé !

Le quinoa dans les soupes

Pratique, le quinoa cuit aussi vite que les légumes, ce qui permet de l'ajouter à une soupe. Versez-le dans l'eau en comptant qu'il lui faudra moins d'un quart d'heure de cuisson, ajustez avec les légumes en coupant ces derniers en petits morceaux. Il suffit d'une poignée pour enrichir des soupes-repas façon garbure…

Le quinoa dans les plats

Il peut remplacer la semoule de blé, lorsque vous cuisinez des légumes pour un couscous. C'est idéal pour l'été, le résultat est plus léger et plus digeste. On peut aussi le préparer façon paëlla.

Une fois cuit, le quinoa va non seulement accompagner avec bonheur tous les plats en sauces : couscous, tajines, sautés de légumes, ratatouille... mais il va aussi être un ingrédient fort apprécié pour réaliser des galettes, des croquettes, vous pourrez l'utiliser en farce, dans des nems ou des soufflés...

Le quinoa au dessert ou au petit déjeuner

En petit déjeuner ou au dessert, le quinoa (cuit nature) se nappe de sirop d'érable ou d'agave, de fruits frais en morceaux (fraises, framboises, pêches...), vous pourrez rajouter un yaourt de soja ou quelques cuillerées de crème de soja épaisse...
Quand il fait froid, vous le mélangerez plutôt avec une compote ou des morceaux de fruits cuits en sucrant avec du sirop d'érable ou un sirop de pommes. Il se dégustera aussi nappé de crème de coco sucrée et parfumée de grains de vanille, avec des raisins secs...

Cuisson de base des graines de quinoa

Cuisson à l'eau

Pour 1 volume de quinoa, comptez 2 volumes d'eau. Dans une casserole, versez le quinoa et l'eau. Laissez cuire à couvert et sur feu doux jusqu'à ce que l'eau soit absorbée. Comptez environ 10 à 15 minutes dès que l'eau est bouillante. Salez, puis laissez bien gonfler à couvert encore 10 minutes, le quinoa sera plus aéré.

Le quinoa est rapide à cuire mais si vous souhaitez en préparer à l'avance une belle quantité, procédez comme ci-dessus sans saler l'eau de cuisson. Ainsi, vous aurez plusieurs possibilités pour le déguster : pour le petit déjeuner, vous en prendrez un bol nappé de sirop d'érable avec des raisins secs ou des fruits. Pour une entrée, vous le mélangerez à des crudités pour réaliser un taboulé. A un autre repas, vous l'assaisonnerez avec du gomasio pour accompagner un plat en sauce et vous pourrez même en rajouter quelques cuillerées dans une soupe...
Le quinoa trouve autant d'applications culinaires que le riz ... c'est dire la variété des recettes.

Salade aux courgettes

Une entrée fraîche et originale : du quinoa, des courgettes rapées crues et une sauce sucrée-salée pour mettre l'ensemble en valeur.

1 verre de quinoa
2 verres d'eau
2 c. à s. de raisins secs
1 petite poignée d'amandes effilées (ou des pignons)
2 courgettes
facultatif : feuilles de menthe

Pour la sauce :
1 c. à s. de sirop de riz
4 c. à s. d'huile de tournesol
1 c. à c. de vinaigre balsamique

Faites cuire le quinoa selon la recette de base (voir page 15). Mettez au frais.

Dans un saladier, préparez la sauce : versez le sirop de riz, incorporez en délayant le vinaigre balsamique et l'huile de tournesol.
Prenez soin de choisir de jeunes courgettes, bien croquantes. Lavez-les et râpez-les crues (grille moyenne). Mélangez-les à la sauce, ajoutez le quinoa. Parsemez de raisins secs et d'amandes effilées. Ciselez quelques feuilles de menthe.

Taboulé de quinoa

Persil et menthe fraîche font de ce taboulé une entrée fraîche pour l'été. Si vous préférez le parfum de la coriandre, elle pourra remplacer la menthe.

2 verres de quinoa
4 verres d'eau
4 tomates
1 petit concombre
1 oignon
1 botte de persil
5 c. à s. d'huile d'olive
1 belle poignée de menthe fraîche, sel, poivre
1 poignée de pignons

Procédez à la cuisson du quinoa (voir page 15). Epluchez les tomates, coupez-les en petits morceaux, détaillez le concombre et l'oignon en dés. Dans un saladier, versez l'huile d'olive sur les légumes, salez, poivrez.
Hachez le persil et la menthe et ajoutez-les dans la sauce.

Versez le quinoa cuit lorsqu'il a bien gonflé et refroidi. Mettez au frais avant de servir.

Passez les pignons pendant quelques instants dans une poêle à sec pour les dorer légèrement. Parsemez sur le taboulé.

Salade petits pois et quinoa

Printanière, cette salade mêle quinoa, petits légumes et fines herbes.

1 verre de quinoa
2 verres d'eau
1 poignée de petits pois
1 oignon doux
3 jeunes carottes
4 c. à s. d'huile de tournesol
quelques gouttes de jus de citron
1 c. à c. de sauce de soja
quelques brins de ciboulette
6 feuilles de menthe fraîche ou du coriandre

Dans une casserole, versez le quinoa et l'eau. Laissez cuire à couvert et à feu doux jusqu'à ce que l'eau soit absorbée (comptez environ 10 à 15 minutes). Ajoutez les petits pois environ à mi-cuisson du quinoa, plongés dans l'eau bouillante ils conserveront leur belle couleur verte.

Hors du feu, laissez gonfler à couvert encore 10 minutes, le quinoa sera plus aéré. Mettez au frais. Hachez l'oignon et les carottes à la râpe fine.

Dans un saladier, mêlez l'huile de tournesol, le jus de citron, la sauce de soja. Mélangez bien avec le quinoa, ajoutez les légumes râpés, les herbes hachées. Servez frais.

Petits farcis au caviar de quinoa

*Pour un plateau de petites entrées sur vos buffets d'été, cour-
gettes rondes, petites tomates et même citron forment un joli
défilé de couleurs.*

4 mini courgettes rondes
4 petites tomates
6 c. à s. d'huile d'olive
200 g de quinoa déjà cuit (recette page 15)
60 g de laitue de mer (algue fraîche conservée au sel)
40 g de dulse (algue fraîche conservée au sel)
1 citron
sel, poivre

Coupez un chapeau aux courgettes rondes et évidez
le centre en enlevant les graines. Posez-les à l'en-
vers dans le panier pour une cuisson à la vapeur
douce d'à peine 5 minutes, simplement pour les
attendrir (la courgette doit rester *al dente*).
Coupez un chapeau aux tomates, évidez les graines
pour creuser une cavité. Mettez les graines, le jus et
la pulpe recueillis dans le mixeur avec l'huile d'olive
et mixez.

Plongez les algues dans un saladier d'eau et rincez
plusieurs fois pour éliminer les grains de sable.
Essorez-les avant de les détailler très finement aux
ciseaux.

Coupez le citron en deux et pressez son jus.
Conservez les demi-écorces.

Dans un saladier, versez le jus de citron, l'émulsion
de tomates et d'huile d'olive, ajoutez les algues
hachées, salez et poivrez, mélangez avec le quinoa.
Placez au frigo.

Remplissez les courgettes *al dente*, les tomates
crues avec cette salade de quinoa aux algues, coif-
fez-les de leur petit chapeau.

Pour garnir les demi-citrons, tranchez-leur légèrement les pointes pour faire une assise. Ainsi on peut
les poser comme des coquetiers, remplissez-les de
quinoa et déposez les bouts tranchés comme de
mini chapeaux.

Taboulé menthe et laitue de mer

Riche en couleurs cette salade de quinoa fera découvrir à vos invités la saveur discrètement iodée de la laitue de mer. On la trouve en barquette au rayon frais bio, conservée au sel, il suffit de la rincer simplement dans un bol d'eau pour ôter le sel et les éventuels grains de sable.

   1 verre de quinoa
   2 verres d'eau
   1 petit bulbe de fenouil
   1 cébette
   1 petit poivron rouge
   2 tomates
   4 c. à s. d'huile d'olive, gomasio
   1 poignée de menthe fraîche
   30 g de laitue de mer (algue fraîche conservée au sel)
   olives noires

Procédez à la cuisson du quinoa (voir page 15). Dans un saladier, versez l'huile d'olive, salez avec le gomasio, ajoutez la menthe et la laitue de mer (rincée au préalable) hachées finement aux ciseaux ou dans un petit mixeur. Mélangez avec les légumes que vous détaillez en petits morceaux.

Versez le quinoa. Mettez au frais avant de servir. Décorez d'olives noires.

Soupe jardinière

Le quinoa et les légumes coupés en petits dés auront le même temps de cuisson. Pour compléter les parfums de cette soupe jardinière, versez un filet d'huile d'olive dans l'assiette.

100 g de quinoa
1 litre d'eau
3 carottes
1 poignée de haricots verts
1 oignon
1 branche de céleri
1 branche de thym frais, sel

Versez le quinoa dans une casserole, ajoutez l'eau et placez sur le feu.

Brossez ou épluchez les carottes et coupez-les en petits dés (comme pour une macédoine). Ajoutez-les dans la casserole.

Détaillez l'oignon, la branche de céleri et les haricots verts en petits dés que vous mettez dans l'eau lorsque celle-ci est bouillante. Faites cuire une quinzaine de minutes à feu doux et à couvert.

Lorsque la soupe est cuite, plongez la branche de thym que vous laissez infuser hors du feu jusqu'au moment de servir. Salez et servez chaud.

Bouillabaisse de quinoa

Un plat unique façon soupe-repas où le safran et le fenouil donnent l'indispensable accent provençal… Pour la rouille qui l'accompagne, je vous suggère une version totalement différente d'une recette traditionnelle pour aller à la découverte d'un fondant complètement végétal.

2 poignées de haricots verts
4 pommes de terre
2 oignons
1 poivron vert ou jaune
4 c. à s. d'huile d'olive
2 pincées de paprika
2 pincées de curcuma ou de safran
2 bâtons de fenouil
200 g de quinoa
2 litres d'eau

Pour la rouille :
2 pots de 235 g de crème de soja épaisse
4 gousses d'ail
1 c. à s. de paprika
10 c. à s. d'huile d'olive
sel

Epluchez et coupez les pommes de terre en tout petits cubes. Emincez également le poivron en dés. Coupez les haricots en petits tronçons d'environ 2 centimètres.

Versez l'huile dans une cocotte à fond épais, faites revenir les oignons que vous aurez tranché en fines lamelles avec les épices. Dès que les oignons ont légèrement blondis, ajoutez les autres légumes, les bâtons de fenouil et le quinoa, remuez pour enrober le tout d'huile et d'épices et couvrez d'eau. Procédez à une cuisson sur feu doux et à couvert pendant 15 minutes.

Préparez la rouille :
Mélangez le paprika et le sel dans l'huile d'olive, ajoutez les gousses d'ail écrasé et incorporez la crème de soja, fouettez vigoureusement pour obtenir un mélange homogène. Gardez au frais jusqu'au moment de servir.

Paëlla de quinoa

Le quinoa peut se cuisiner comme le riz ! Cette paëlla donne une variante estivale légère et colorée. Les petits pois pourront être remplacés par des fèves ou des haricots plats coupés en petits tronçons.

**2 tomates, 1 poivron rouge, 1 oignon, 1 poignée de petits pois
2 verres de quinoa, 4 verres d'eau
2 pincées de safran
1 c. à c. de paprika, sel
1 feuille de laurier
2 c. à s. d'huile d'olive
2 saucisses de tofu épicées**

Faites revenir dans l'huile d'olive les tomates épluchées et coupées en morceaux, le poivron et l'oignon coupés en lamelles, poudrez d'épices. Ajoutez le quinoa et le laurier. Couvrez d'eau, salez et laissez mijoter à couvert.

Après 10 minutes, ajoutez les petits pois et les saucisses de tofu détaillées en rondelles. Eteignez le feu dès que le quinoa a absorbé tout le bouillon. Couvrez et laissez gonfler hors du feu.

Tajine aux épices

Un mélange de tofu et de légumes en sauce sucré-salé pour s'associer avec le léger quinoa. Dans l'eau de cuisson de celui-ci j'ai glissé une feuille de laurier pour le parfumer.

2 verres de quinoa
4 verres d'eau
1 feuille de laurier

4 carottes
500 g de potimarron
2 oignons
3 c. à s. d'huile d'olive
1 pincée de cardamome en poudre, sel
1 étoile de badiane, 2 clous de girofle

150 g de tofu
4 c. à s. de sirop de riz (ou du miel liquide)
5 pruneaux
1 poignée d'amandes effilées
1 c. à s. de cannelle

Epluchez le potimarron (sauf si son écorce est jeune et tendre), détaillez les tranches en petits cubes. Brossez ou épluchez les carottes et coupez-les en rondelles. Coupez les oignons en fines lanières.

Versez l'huile dans une cocotte, ajoutez la cardamome et les oignons. Faites revenir quelques instants, salez, ajoutez la badiane, les clous de girofle et les légumes. Remuez, versez un demi-verre d'eau. Couvrez et faites cuire jusqu'à ce que les légumes soient fondants.

Dans une casserole, versez le quinoa et l'eau. Salez et mettez aussi la feuille de laurier. Faites cuire à feu doux et à couvert jusqu'à ce que l'eau soit absorbée (comptez environ 10 à 15 minutes). Laissez gonfler hors du feu.

Dans une sauteuse, versez le sirop de riz, la cannelle et les amandes effilées, faites revenir en remuant sur feu doux. Ajoutez les pruneaux dénoyautés et coupés en petits bouts ainsi que le tofu émincé en petits dés. Remuez l'ensemble pendant quelques minutes puis rajoutez les légumes et mélangez bien. Servez avec le quinoa.

Couscous aux raisins secs

Le quinoa est parfumé au cumin et parsemé de petits raisins, pour les légumes de ce léger couscous, je vous propose deux versions, l'une aux légumes d'été et l'autre aux légumes d'hiver.

4 verres de quinoa, 8 verres d'eau
1 poignée de raisins secs
sel, quelques graines de cumin

2 litres d'eau, 3 c. à c. de sel
2 feuilles de laurier, 2 c. à c. de 4 épices
1 verre de pois chiches cuits
4 saucisses de tofu
2 c. à s. d'huile d'olive

version légumes d'été :
4 carottes, 2 oignons, 1 poivron, 3 courgettes

version légumes d'hiver :
3 carottes, 2 oignons, 3 poireaux, 1 tranche de courge

Mettez l'eau à chauffer avec les feuilles de laurier, le sel et le 4 épices.

Epluchez et détaillez les légumes, commencez par les carottes que vous couperez en larges rondelles. Plongez-les dans l'eau bouillante salée. Ajoutez les oignons en lamelles, puis les poireaux coupés en tronçons ou le poivron en petits morceaux. En dernier, incorporez les légumes aqueux comme les courgettes ou la courge en petits cubes. Le tout mijotera une quinzaine de minutes sur feu doux.

Dans une casserole, mettez la petite pincée de graines de cumin dans l'eau avec le quinoa. Laissez cuire à couvert jusqu'à ce que l'eau soit absorbée (comptez environ 10 à 15 minutes).

Jetez une poignée de raisins secs sur le quinoa, ils vont se réhydrater à la vapeur du quinoa chaud pendant que ce dernier finira de gonfler.
Dans la cocotte de légumes, versez en fin de cuisson, les pois chiches déjà cuits et les saucisses de tofu.

Servez la graine de quinoa accompagnée de larges louches de légumes au bouillon parfumé.

Gratin soufflé à la courge

Pour accompagner ce doux plat d'automne on pourra lui associer une poêlée de champignons sautés à l'ail et au persil.

> 1 verre de quinoa
> 2 verres d'eau
> 400 g de courge
> 3 œufs
> 2 c. à s. d'huile d'olive
> 2 c. à s. de farine de blé bise ou de farine de riz
> 1 verre de 15 cl de lait de riz ou de soja
> 1 pincée de muscade, sel, poivre

Procédez à la cuisson du quinoa (voir page 15). Epluchez la tranche de courge et coupez-la en morceaux pour une cuisson à la vapeur douce. Ensuite, écrasez-les grossièrement à la fourchette.

Préparez une béchamel en délayant dans une casserole la farine avec l'huile d'olive et le lait de riz. Placez sur feu doux. Ajoutez un peu de muscade, salez, poivrez, et remuez jusqu'à épaississement. Hors du feu, ajoutez les graines de quinoa, la courge écrasée et les jaunes d'œufs. Mélangez bien. Montez les blancs en neige et incorporez-les au mélange. Versez dans un plat à four huilé et enfournez à thermostat 7 pour 30 à 40 minutes, jusqu'à ce que le gratin soit un peu soufflé et bien doré.

Crumble de ratatouille au parmesan

Un étonnant « crumble » : le mélange des petits grains de quinoa et de parmesan apporte une touche dorée et délicieuse sur une ratatouille aux couleurs de l'été.
Le parmesan pourra aussi être remplacé par un fromage de chèvre sec et râpé.

Pour le crumble :
1 verre de quinoa, 2 verres d'eau
6 à 8 c. à s. de parmesan râpé

Pour la ratatouille :
1 aubergine
2 ou 3 courgettes
1 poivron rouge
1 oignon
facultatif : 1 gousse d'ail
6 c. à s. d'huile d'olive
quelques feuilles de basilic, sel, poivre

Procédez à la cuisson du quinoa (voir page 15).

Epluchez l'aubergine. Détaillez-la en petits cubes ainsi que les courgettes, tranchez le poivron et l'oignon en fines lamelles. Mettez tous les légumes à cuire en les mélangeant bien à l'huile d'olive et à l'ail écrasé, salez, poivrez. Démarrez la cuisson à couvert et feu doux. Remuez souvent, en fin de cuisson ajoutez les feuilles de basilic, ôtez le couvercle quand les légumes commencent à être tendres pour obtenir une compotée de légumes un peu confite.

Mélangez le quinoa cuit et refroidi avec le parmesan, poivrez un peu.

Versez la ratatouille dans 4 plats à four individuels et étalez par dessus le crumble de quinoa. Passez à four chaud à peine 10 minutes.

Nems à la sauce cacahuètes

La sauce cacahuètes apporte une touche délicieusement exotique et épicée qui se marie bien avec les nems croustillants.

pour les nems :
100 g de quinoa déjà cuit (recette page 15)
1 carotte
250 g de champignons
margarine végétale
la valeur de 3 c. à s. de germes de soja (haricots mungo)
sel, poivre
6 feuilles de riz

pour la sauce cacahuètes :
2 c. à s. de purée de cacahuètes
1 c. à s. de sauce tomates
5 c. à s. d'eau ou de bouillon tiède
sel, poivre
facultatif : poivre ou une pointe de couteau de piment

Pour les rouleaux de printemps :
Nettoyez et émincez en fines lamelles les champignons. Faites-les revenir dans une poêle avec une noix de margarine végétale. Lorsqu'ils sont un peu dorés, éteignez le feu et ajoutez les germes de soja,

le quinoa et la carotte râpée. Salez et poivrez.

Préparez la sauce :
Dans un petit bol, mélangez la purée de cacahuètes avec les cuillerées d'eau que vous incorporez une à une, délayez bien et ajoutez ensuite la sauce tomates. Salez, poivrez ou ajoutez une pointe de piment.

Posez la feuille de riz sur un linge humide, humectez d'eau (sauf si vous utilisez des feuilles de riz souples que l'on trouve toutes prêtes à utiliser en rayon frais bio, dans ce cas déposez directement la farce). Lorsque la pâte est molle, déposez quelques cuillerées de légumes au milieu et en formant une quenelle à l'horizontale. Rabattez le côté gauche et le côté droit de la feuille de riz sur le tas de légumes, rabattez également le bas, et roulez vers le haut en tassant bien pour former un nem. Plongez dans une huile bien chaude. Egouttez et posez sur du papier absorbant dès que les rouleaux sont dorés. Servez aussitôt avec la sauce aux cacahuètes en accompagnement.

Risotto de quinoa aux poivrons

C'est un coulis très doux, une association de poivrons rouges et de carotte, taquiné par le gingembre qui vient enrober les grains de quinoa pour ce risotto léger. On le servira à la fin de l'été quand les poivrons sont bien mûrs.

2 verres de quinoa, 4 verres d'eau
2 poivrons rouges
1 carotte
2 branches de persil
1 pincée de gingembre en poudre
sel, huile d'olive

Lavez les poivrons rouges, brossez la carotte. Emincez les légumes en lamelles et faites-les cuire à l'étouffée dans une cocotte à fond épais avec un demi-verre d'eau et la cuillerée d'huile d'olive.

Dans une casserole, versez le quinoa et l'eau. Faites cuire à feu doux et à couvert jusqu'à ce que l'eau soit absorbée (comptez environ 10 à 15 minutes). Laissez gonfler hors du feu.

Lorsque les légumes sont cuits, ajoutez le persil, salez et poudrez de gingembre. Versez dans le bol mixeur du robot et réduisez en coulis. Versez ce coulis dans la casserole de quinoa lorsque celui-ci est cuit, mélangez bien en ajoutant un filet d'huile d'olive.

Taboulé miel et fleur d'oranger

Une composition délicatement parfumé pour un dessert aux notes orientales.

1 verre de quinoa
2 verres d'eau
8 dattes
4 c. à s. d'amandes effilées
1 c. à c. de cannelle en poudre
4 c. à s. de miel d'oranger
1 c. à s. d'eau de fleurs d'oranger

Versez l'eau et le quinoa dans une casserole, laissez cuire sur feu très doux 10 à 15 minutes à couvert. Lorsque toute l'eau est absorbée, versez le miel et laissez gonfler hors du feu sous un couvercle.

Dénoyautez les dattes et coupez-les en petits morceaux. Remuez le quinoa refroidi à l'aide d'une fourchette pour l'aérer, ajoutez-lui l'eau de fleurs d'oranger, poudrez de cannelle et incorporez les morceaux de dattes et les amandes effilées.

Compote au quinoa

Une façon d'enrichir un dessert, une idée pour le goûter des enfants ou pour le petit déjeuner...

   1/2 verre de quinoa
   1 verre d'eau
   1 rondelle de citron
   4 pommes
   2 bananes
   1 poignée de raisins secs
   2 pincées de cardamome en poudre
   sirop d'agave

Versez le quinoa et l'eau dans une casserole, placez sur feu doux.

Dès que l'eau est chaude, ajoutez la rondelle de citron, les pommes coupées en quartiers et les raisins secs. Faites cuire une quinzaine de minutes à feu très doux et à couvert. A mi-cuisson, ajoutez les bananes coupées en rondelles.

Lorsque le quinoa est cuit et les fruits en compote, poudrez de cardamome et sucrez à votre convenance avec du sirop d'agave.

Gâteau de quinoa

C'est un gâteau qui s'accompagne d'une crème anglaise ou d'une crème dessert végétale (soja, riz, amandes..).

1 verre de quinoa (120 g)
2 verres d'eau (30 cl)
100 g de raisins secs
10 cl de rhum
3 œufs
50 g de sucre de canne complet
2 pincées de cannelle en poudre
1 pincée de cardamome en poudre
50 g d'écorces d'orange

Préparez à l'avance les raisins secs macérés :
Dans une petite casserole, versez le rhum et faites-le très légèrement tiédir avant d'y faire tremper les raisins secs. Laissez-les gonfler quelques heures.

Procédez à la cuisson du quinoa (voir page 15).
Cassez les œufs, séparez les blancs des jaunes. Mélangez le quinoa tiède avec les jaunes, ajoutez les raisins secs, le sucre de canne complet, la cannelle et la cardamome. Montez les blancs d'œufs en neige que vous incorporez ensuite au mélange de quinoa.
Versez dans un moule à manqué huilé ou chemisé et enfournez à thermostat 7 pendant 25 à 30 minutes.

La farine de quinoa

La farine de quinoa dans les entrées et les petits plats

C'est une saveur tout à fait typique que la farine de quinoa peut apporter dans une préparation culinaire. Mélangée à une autre farine, elle rehausse les compositions et permet d'apporter une fantaisie dans les recettes. Sans gluten, cette farine peut vous permettre de réaliser des sauces et servira aussi de liant dans une préparation de galettes végétales.

La farine de quinoa dans les desserts et les gâteaux

Son goût étant assez prononcé, la farine de quinoa peut se rajouter en plus petite quantité, mélangée à une autre farine (blé ou petit épeautre, farine de riz…) dans vos pâtes à crêpes ou à gâteaux. Cependant, on peut tout à fait l'utiliser seule lorsqu'elle est associée en petite proportion à la saveur corsée du chocolat, au goût de l'amande, de la châtaigne, à celui du sucre complet…

Cake aux olives et au basilic

Servi chaud ou froid, ce cake salé est facile à trancher pour une présentation à l'apéritif, sur un buffet ou à emporter en pique-nique.

2 œufs
100 g de tofu fumé
2 yaourts de soja
4 c. à s. de gomasio (ou sel et sésame)
1 pot à yaourt d'huile d'olive (100 g)
2 pots à yaourt de farine de quinoa (100 g)
2 douzaines d'olives
12 grosses feuilles de basilic frais
2 pots à yaourt de farine de riz (140 g)
1 sachet de poudre levante (18 g)

Dans un saladier, versez les yaourts, mélangez avec le gomasio, les feuilles de basilic que vous ciselez aux ciseaux et l'huile d'olive.
Ajoutez la farine de quinoa, puis les œufs, les olives, le tofu coupé en petits dés.

Mélangez bien, ajoutez en dernier la farine de riz et la poudre levante. Remuez rapidement (la poudre levante agit instantanément) et versez dans un moule à cake huilé. Enfournez à thermostat 7 durant 35 minutes.

Pissaladière aux oignons

Pâte d'olives noires, herbes de Provence et compotée d'oignons sur une pâte à tarte que vous pourrez réutiliser pour d'autres tartes ou tourtes aux légumes.

Pour la pâte à tarte :
100 g de farine de quinoa
100 g de farine de petit épeautre (ou blé)
1 c. à c. de sel
1 c. à c. de poudre levante (5 g)
4 c. à s. d'huile d'olive
1 c. à c. d'herbes de Provence

Pour la garniture :
600 g d'oignons jaunes
1 c. à s. d'huile d'olive
1 pot de 190 g de tapenade (pâte d'olives noires)
2 c. à s. de gomasio
1 c. à c. de marjolaine

Versez tous les ingrédients pour la pâte dans le bol à pétrir du robot. Brassez bien puis ajoutez de l'eau de façon à ce que le mélange s'agglomère parfaitement et forme une boule de pâte. Déposez sur le plan de travail poudré de farine. Etalez avec le rouleau à pâtisserie également bien fariné.

Après avoir épluché les oignons, hachez-les finement au robot, à la lame. Mettez-les à cuire à couvert dans une casserole avec l'huile d'olive sur feu doux pendant 5 à 10 minutes.

Etalez la pâte en un grand rectangle (sur une plaque de 30 X 40 cm), tartinez avec la tapenade et par dessus disposez la marmelade d'oignons. Saupoudrez avec le gomasio et la marjolaine.

Enfournez à thermostat 7-8 durant 15 à 20 minutes.

Gâteau brioché au yaourt et à la cannelle

Très moelleux, c'est un gâteau dans lequel on fait volontiers de belles tartines à garnir de marmelade ou de chocolat. Rapide et facile à préparer, on l'adopte vite, c'est une recette que l'on peut aussi transformer en remplaçant la cannelle par de la vanille en poudre (1 demi-cuillerée à café).

100 g de sucre de canne blond ou complet
50 ml d'huile d'olive douce
1 yaourt de soja nature
3 œufs
50 g de farine de quinoa
120 g de farine de riz
1 sachet de poudre levante (18 g)
1 c. à s. de cannelle en poudre

Versez le sucre dans un saladier, mélangez-le avec le yaourt, ajoutez les œufs. Remuez énergiquement en versant l'huile d'olive, puis incorporez les farines, la cannelle et la poudre levante.

Versez dans un moule à cake huilé ou enduit de margarine. Enfournez 30 à 40 minutes à thermostat 7. Ce gâteau a souvent besoin d'être protégé à mi-cuisson pour éviter qu'il ne soit trop doré, on peut baisser le thermostat à 6 après 20 minutes.

Gâteau de chocolat

Il s'agit d'un gâteau très corsé et dense en chocolat qui se dégustera plutôt froid avec une marmelade d'orange amère ou une crème anglaise.

200 g de chocolat noir (70 % de cacao)
100 g de purée de noisettes
60 g de sucre de canne
20 g de farine de quinoa
4 œufs
4 c. à s. de marmelade d'oranges amères
pour le décor : quelques orangettes (écorces d'oranges confites nappées de chocolat)

Dans une casserole, déposez les carrés de chocolat et 4 cuillerées d'eau, posez sur feu très doux, laissez fondre et remuez seulement lorsque le chocolat est mou cela permet de lui conserver son côté lisse et brillant. Ôtez du feu et ajoutez la purée de noisettes, le sucre, mélangez l'ensemble.

Ajoutez la farine de quinoa et les jaunes d'œufs, un à un. Puis montez les blancs d'œufs en neige, incorporez-les délicatement à la pâte au chocolat. Versez dans un moule à manqué bien huilé et enfournez à thermostat 6-7 durant 25 minutes. Démoulez et placez au frigo.

Nappez de marmelade d'orange et décorez de quelques orangettes disposées en rosace.

Pudding de châtaignes aux pruneaux

Dessert fondant, ce pudding se prépare en 10 minutes et régale les amateurs de crème de châtaignes.

  800 g de purée de châtaignes nature
  une douzaine de pruneaux
  4 œufs
  100 g de sucre de canne blond
  100 g de farine de quinoa
  1 c. à s. de poudre levante

Cassez les œufs pour séparer les blancs des jaunes. Dans un saladier, mélangez la purée de châtaignes avec les jaunes d'œufs. Ajoutez le sucre, la farine de quinoa, la poudre levante.

Montez les blancs d'œufs en neige. Incorporez-les dans la pâte avec les pruneaux dénoyautés et coupés en morceaux. Versez dans un moule à manqué huilé et enfournez à thermostat 7 durant 25 à 30 minutes.

Laissez complètement refroidir pour couper directement les parts dans le plat.

Clafoutis multi-fruits

Rapidement préparée, cette recette s'utilise en toutes saisons et s'adapte avec tous les fruits du moment... L'association de poudre et de lait d'amandes apporte un parfum qui se marie bien avec tous les fruits juteux.

- 100 g de farine de riz
- 50 g de farine de quinoa
- 50 g de poudre d'amandes
- 80 g de sucre de canne blond
- 2 œufs
- 25 cl de lait d'amandes
- 300 g de fruits de saison (abricots, pêches, prunes ou poires, pommes, raisins…)

Dans un saladier, versez les deux farines, la poudre d'amandes, le sucre de canne. Mélangez et délayez en ajoutant les œufs et le lait d'amandes.
Faites préchauffer le four à thermostat 7.

Dénoyautez et coupez les fruits de votre choix, mélangez-les à la pâte.

Huilez ou chemisez un moule à manqué et versez la pâte aussitôt après l'avoir remuée. Il faut que la pâte à clafoutis soit tout de suite soumise à la chaleur pour bien gonfler sans se déposer. Comptez environ 25 minutes de cuisson.

Gratin de pêches et figues

Ce dessert ressemble à un clafoutis bien qu'il soit sans œufs.
Il se fait cuire dans un grand plat pour qu'il soit peu épais et
se dégustera de préférence encore chaud.

100 g de farine de quinoa
60 g de sucre de canne complet
4 grosses c. à s. de purée d'amandes (ou de pâte à tartiner aux amandes)
20 cl d'eau
6 pêches et 4 figues (ou 6 poires et quelques noix)

Mélangez la farine et le sucre de canne complet. Diluez la purée d'amandes avec l'eau et délayez avec le mélange farine et sucre. Ajoutez les fruits coupés en morceaux.

Huilez un moule à tarte ou un plat à gratin, versez la préparation et enfournez aussitôt dans un four préchauffé à thermostat 7 pendant 35 minutes.
Dégustez tiède.

Pâte à crêpes

La proportion de farine de quinoa permet d'obtenir un discret parfum de quinoa et l'association avec la farine de riz donne des crêpes légères un peu soufflées. On les nappe de miel ou de sirop d'érable, de compote ou de marmelades de fruits, de chocolat fondu et de pralin…

60 g de farine de quinoa
100 g de farine de riz
4 œufs
30 cl à 40 cl de lait de soja
facultatif : 1 c. à s. de sucre de canne

Versez les farines dans un saladier, ajoutez les œufs et mélangez tout en incorporant peu à peu le lait végétal. Laissez reposer pendant 2 heures. Si la pâte vous paraît un peu épaisse ajoutez un peu plus de lait de soja.

Faites chauffer votre poêle bien huilée et versez une louche de pâte. Lorsque la première face est dorée, retournez la crêpe.

Cookies noisettes - orange

Une pâte moelleuse, des pépites de chocolat, le croquant des noisettes et le parfum d'une huile essentielle d'orange... succès assuré !

Pour une douzaine de biscuits (environ 8 cm de diamètre)

50 g de sucre de canne complet
50 g de margarine végétale
1 yaourt de soja nature (120 g)
50 g de raisins secs
50 g de noisettes
60 g de pépites de chocolat
6 gouttes d'huile essentielle d'orange douce
50 g de farine de quinoa
30 g de farine de riz
1 c. à s. de poudre levante (5 g)

Dans un saladier, mélangez la margarine (sortie à l'avance pour qu'elle soit ramollie) avec le sucre de canne complet.

Lorsque vous obtenez une belle crème homogène, incorporez le yaourt, puis les raisins secs, les noisettes grossièrement hachées au petit mixeur (ou coupées au couteau en petits bouts), les pépites de chocolat et les quelques gouttes d'huile essentielle d'orange.

Versez les farines avec la poudre levante, mélangez bien. La pâte va devenir aussitôt un peu soufflée, évitez de trop la malaxer.

Déposez une cuillerée à soupe de pâte que vous faites glisser à l'aide d'une spatule sur une plaque recouverte de papier cuisson. On peut disposer environ une douzaine de petits tas que vous aplatissez légèrement avec le dos de la cuillère.

Enfournez à thermostat 7 durant 20 minutes.

Cookies Quinoacao

Plus croustillants que la recette précédente, ces cookies tout chocolat se dégustent avec des entremets, façon mignardises et on les emporte surtout très facilement pour le goûter.

Pour une douzaine de cookies :

50 g de chocolat noir
2 c. à s. de purée d'amandes (environ 60 g)
60 g de sucre de canne roux
60 g de raisins secs
50 g d'amandes
1 yaourt de soja nature (120 g)
40 g de farine de quinoa
1 c. à s. de poudre levante (5 g)

Placez le chocolat, le sucre et la purée d'amandes dans une casserole sur un feu très doux et remuez seulement dès que le chocolat est ramolli de façon à obtenir une crème lisse.

Eteignez le feu, ajoutez les raisins secs, les amandes grossièrement hachées au petit mixeur (ou au couteau en petits bouts), le yaourt de soja. Mélangez soigneusement puis incorporez en dernier la farine de quinoa et la poudre levante.

Préparez une plaque à four que vous recouvrez de papier cuisson. Pour former un cookie, déposez une cuillerée de pâte que vous faites glisser à l'aide d'une spatule sur la plaque. Une fois que vous avez ainsi déposé une douzaine de petits rochers, aplatissez-les légèrement avec le dos de la cuillère. A la cuisson ils vont légèrement s'étaler et prendre un diamètre d'environ 8 centimètres.

Enfournez à thermostat 7 durant 20 minutes environ.

Clafoutis au chocolat

Un dessert pour les amateurs de chocolat ! On peut rajouter de la cannelle en poudre (la valeur d'une petite cuillerée à café) pour apporter un chaud parfum à ce gratin aux poires. Le sucre contenu dans le chocolat, la saveur douce du lait de riz et le fondant des poires suffisent à sucrer la pâte.

    200 g de chocolat noir (70% de cacao)
    1/2 de litre de lait de riz
    200 g de farine de quinoa
    4 œufs
    4 poires

Dans une casserole, mettez le chocolat à fondre dans le lait de riz.

Dans un saladier, versez la farine, ajoutez les œufs et versez un petit peu de lait chocolaté pour mélanger l'ensemble. Remuez pour obtenir une pâte très épaisse que vous délayez petit à petit avec le restant de lait végétal.

Faites préchauffer le four à thermostat 7. Epluchez les poires et coupez-les en lamelles que vous mélangez à la pâte.
Versez dans un plat à gratin et enfournez 25 à 30 minutes à thermostat 7.

Crème pâtissière parfum café

Le goût assez présent de la farine de quinoa s'harmonise particulièrement bien avec le parfum du sucre de canne complet et celui de café. On peut aussi utiliser un succédané de café, une poudre instantanée à base de céréales torréfiées.

2 jaunes d'œufs
40 g de sucre de canne complet
40 g de farine de quinoa
30 cl de lait de riz (ou de soja)
1 c. à c. d'extrait naturel de café

Dans une petite casserole, mélangez les jaunes d'œufs avec le sucre. Versez la farine de riz dans le mélange aux œufs, incorporez le lait végétal. Placez sur feu doux sans cesser de remuer jusqu'à épaississement. Hors du feu, ajoutez l'extrait de café. Mélangez bien.

Les flocons de quinoa

Flocons de quinoa pour l'apéritif

Préparez le Flan de légumes (recette page 59) que vous pourrez couper en large tranches puis en cubes qui seront servis froids. De la même façon les Escalopes végétales (recette page 60) pourront aussi être présentés en mini-crêpes (si vous utilisez une poêle à blinis) pour accompagner des tartinades.

Les flocons de quinoa dans les soupes et les veloutés

Les flocons de quinoa cuisent très rapidement lorsqu'on les ajoute dans un bouillon déjà chaud.
Dans les soupes, ils peuvent donner de l'onctuosité en remplacement de la pomme de terre et pour épaissir, il suffit d'en ajouter une poignée en fin de cuisson des légumes, ensuite, mixez ou non, selon les goûts.

Les flocons de quinoa dans les recettes aux légumes

Les flocons de quinoa vont donner du corps à un gratin de légumes ou un soufflé… tout en légèreté. Je les utilise volontiers dans les cakes ou les terrines de légumes, la préparation obtenue donne un résultat moins compact qu'avec une farine ou de la chapelure.

Ils sont si légers qu'ils gonflent instantanément et s'imbibent très facilement de bouillon ou de lait végétal, ce qui les rend pratiques à malaxer dans les préparations avec des légumes râpés, avec ou sans œufs, pour confectionner des galettes végétales et des croquettes, pour farcir des légumes…

Les flocons de quinoa dans les desserts

Les flocons de quinoa, sont si petits et si fins que l'on peut même les glisser dans les desserts : dans les puddings (les flocons remplaceront le pain), les crumbles (les flocons viendront à la place de la farine) ou dans une pâte à gâteaux (quelques cuillerées dans une pâte à cakes ou pour des biscuits sablés).

Velouté de céleri-rave

Une soupe crémeuse où les flocons de quinoa viennent apporter leur petit goût caractéristique. L'ajout de ces flocons remplace l'éventuelle pomme de terre que l'on aurait pu mettre pour épaissir la soupe.

    2 céleri-rave
    2 carottes
    1 pincée de carvi
    4 c. à s. d'huile d'olive
    1 poignée de flocons de quinoa
    10 cl de crème de soja liquide

Epluchez le céleri-rave et coupez-le en petits morceaux. Brossez ou épluchez les carottes, tranchez-les en rondelles.

Dans une cocotte à fond épais, versez l'huile d'olive, les légumes, les graines de carvi, faites revenir quelques minutes puis recouvrez d'eau (le volume d'eau doit simplement dépasser d'environ 2 cm la hauteur des légumes). Faites cuire sur feu doux et à couvert pendant 10 à 15 minutes puis ajoutez les flocons de quinoa quelques instants avant d'éteindre le feu (plongés dans le liquide bouillant, ils vont cuire instantanément). Salez.

Versez dans le bol mixeur du robot en ajoutant si vous le souhaitez la crème de soja liquide qui va donner encore plus d'onctuosité à ce velouté.

Purée de courge râpée

Un accompagnement de légumes rapide à préparer, la courge et les oignons sont cuits à l'étouffée et c'est en fin de cuisson que les flocons de quinoa viennent s'imbiber du jus.

500 g de courge
2 oignons
30 cl de lait d'amandes
60 g de flocons de quinoa
sel aux herbes

Epluchez et coupez la courge et les oignons en morceaux. Hachez-les au robot (dans le bol à lame ou à la râpe classique).

Versez ce hachis de légumes dans une casserole à fond épais, couvrez et maintenez un petit feu pour une cuisson douce à l'étouffée. Au bout de 10 minutes, remuez et rajoutez le lait d'amandes et les flocons de quinoa. Continuez la cuisson à couvert encore 5 minutes. Les flocons de quinoa vont s'imbiber du jus des légumes et du lait d'amandes pour donner une consistance de purée de légumes.
Salez et mélangez bien.

Macarons au fromage de chèvre

Ces macarons seront servis en accompagnement de légumes dans une assiette composée ou bien transformés en petits biscuits apéritifs (utilisez pour cela de mini-corolles en papier en guise de moules).

Pour 4 macarons
2 blancs d'œufs
40 g de fromage de chèvre sec râpé
5 c. à s. de flocons de quinoa
sel, poivre, muscade

Montez les blancs en neige avec une pincée de sel, incorporez délicatement le fromage sec râpé et les flocons de quinoa, poivrez, donnez un tour de moulin de muscade. Versez la pâte dans 4 moules à macarons en papier. Mettez au four à thermostat 7 pendant une dizaine de minutes.

Flan de légumes

Cette recette de base peut être parfumée selon les goûts d'une pincée d'épices : 5 parfums, curry, mélange 4 épices... ou de fines herbes : persil, estragon, basilic, ciboulette...

    1 carotte
    1 courgette
    1/2 poivron rouge
    100 g de flocons de quinoa
    15 cl de lait de riz (ou de soja)
    3 œufs

Coupez les légumes façon macédoine, en petits cubes. Faites-les précuire à la vapeur simplement 5 minutes.

Dans un saladier, versez les flocons et le lait végétal. Incorporez les œufs et les légumes mi-cuits. Assaisonnez et versez dans un moule à cake huilé. Enfournez 25 minutes dans un four préchauffé à thermostat 7-8. Laissez refroidir pour démouler. Cette terrine de légumes se dégustera aussi bien chaude que refroidie.

Escalopes végétales 5 parfums

Sans œufs ces galettes végétales seront enrichies au gré des saison avec les herbes du jardin ou quelques cuillerées d'un légume cru râpé (carotte, oignon, courgette…) ou déjà cuit (courge, poireaux, panais…).

1 verre de farine de sarrasin
2 verres d'eau
1 verre de flocons de quinoa
1 pincée du mélange 5 parfums en poudre, sel
facultatif : quelques feuilles de persil

Mélangez la farine de sarrasin avec l'eau, ajoutez les flocons et laissez gonfler 15 minutes. Assaisonnez. Placez une poêle bien huilée sur le feu. Lorsqu'elle est chaude, versez des petites louches pour former des galettes fines. Posez un couvercle pour conserver aux galettes tout leur moelleux.

Lorsque la première face est dorée, retournez à l'aide d'une spatule et continuez la cuisson de l'autre côté.

Omelette thaïe

*Une omelette au goût relevé, assaisonnée de sauce de soja,
elle est enrichie de graines de sésame et de flocons de quinoa, vous pourrez la couper en morceaux pour la rajouter sur
un bol de riz accompagné de légumes sautés au wok ou
dans un potage.*

Pour 4 œufs :
4 c. à s. de flocons de quinoa
12 cl de lait de soja (ou de riz)
4 c. à s. de sauce de soja
4 c. à s. de sésame
persil ou ciboulette

Dans un bol, fouettez à la fourchette les œufs avec
le lait végétal, la sauce de soja et le sésame, ajoutez
les flocons et la ciboulette ou le persil haché.

Versez dans une poêle bien huilée, couvrez pour
permettre une cuisson uniforme des flocons.

Poivrons farcis

Une recette ensoleillée avec ces poivrons remplis d'une farce appétissante : un mélange d'aubergine, de tofu et de fromage de chèvre, aux parfums des herbes de Provence.

    2 poivrons rouges
    1 aubergine
    4 c. à s. d'huile d'olive
    1 pincée d'herbes de Provence
    100 g de tofu
    4 c. à s. de flocons de quinoa
    1 œuf
    facultatif : 1 crottin de chèvre, poivre

Coupez les poivrons rouges en deux, ôtez les graines et le bout de tige. Posez-les (côté peau vers l'extérieur, pour éviter qu'ils se remplissent d'eau) dans le panier vapeur pour une cuisson à la vapeur douce pendant 12 minutes.

Pendant ce temps, épluchez l'aubergine, coupez-la en petits dés et faites-la cuire à l'étouffée avec l'huile d'olive sur feu très doux. A mi-cuisson, si besoin ajoutez quelques cuillerées d'eau. Lorsque les morceaux d'aubergine sont fondants, parsemez d'herbes de Provence et mélangez avec le tofu que vous aurez écrasé à la fourchette. Incorporez les flocons de quinoa, l'œuf et le fromage de chèvre coupé en petits bouts, salez et poivrez un peu.

Posez les demi-poivrons dans un plat à four, remplissez-les avec la farce aux flocons et à l'aubergine. Versez un filet d'huile d'olive et enfournez à thermostat 7 durant 15 minutes.
Après cuisson, la peau des poivrons est dorée et on peut l'enlever assez facilement sans risquer d'endommager la garniture.

Croquettes au gingembre

Elles accompagneront aussi bien les légumes cuisinés que les légumes vapeur.

2 verres de flocons de quinoa
1 verre 1/2 de lait de riz (ou soja)
2 œufs
1 rondelle de gingembre frais, sel

Versez les flocons dans un saladier, couvrez-les de lait de riz. Laissez-les s'imbiber quelques minutes. Cela doit donner une pâte un peu compacte, si ce n'est pas le cas, rajoutez quelques cuillerées de flocons. Incorporez les œufs, le gingembre que vous écrasez dans un presse-ail pour en recueillir à la fois le jus et la pulpe (mais sans les fibres) et un peu de sel.
Faites chauffer une poêle huilée et, à l'aide d'une cuillère à soupe, versez plusieurs petits tas de pâte que vous aplatissez légèrement avec le dos de la cuillère. Posez un couvercle. Dès que la première face est dorée, retournez les croquettes. Continuez la cuisson à feu doux et à couvert, elles seront plus moelleuses. Prévoyez au moins deux poêlées pour réaliser une vingtaine de croquettes.

Galettes végétales

Elles se préparent très rapidement car les flocons de quinoa s'imprègnent vite du lait végétal. Ces galettes végétales s'accompagneront d'un assortiment de crudités et de légumes vapeur ou sautés.

1 verre de flocons de quinoa
1 verre de 15 cl de lait de riz ou d'amandes
1 c. à s. de farine
2 œufs
1 poireau

Mélangez les flocons de quinoa avec la farine, ajoutez les œufs et délayez avec le lait végétal. Salez. Laissez reposer quelques instants pendant que vous préparez la suite.
Tranchez le poireau en très fines rondelles. Incorporez-les à la pâte.

Placez une poêle bien huilée sur le feu, dès qu'elle est chaude, versez plusieurs cuillerées de pâte pour former deux grandes escalopes végétales, aplatissez-les du dos de la cuillère et couvrez. Lorsque la première face est cuite les galettes se tiennent bien et on peut les retourner facilement à l'aide d'une large spatule.
Procédez en deux fois pour faire cuire les deux autres galettes. Dégustez bien chaud.

Bouchées de quinoa vanille et marmelade d'abricots

Cuits en quelques instants dans du lait végétal, les flocons de quinoa forment une pâte épaisse qui lorsqu'elle sera refroidie permettra de façonner de petites quenelles qui seront accompagnées d'un coulis de fruits ou d'une marmelade.

Pour les bouchées :
100 g de flocons de quinoa
30 cl de lait de riz
une pincée de vanille en poudre ou une demi-gousse de vanille
1 c. à s. de purée d'amandes blanches

Pour la marmelade :
400 g d'abricots
100 g de sucre de canne blond
2 gouttes d'huile essentielle de mandarine

Versez les flocons dans une petite casserole, couvrez de lait végétal et faites chauffer sur feu doux jusqu'à absorption du liquide. Fendez la vanille en deux pour en recueillir les grains que vous grattez de la pointe d'un couteau (ou ajoutez de la vanille en poudre), mélangez dans les flocons

Hors du feu, ajoutez la purée d'amandes. Laissez complètement refroidir.

Coupez les abricots en deux et dénoyautez-les. Mettez-les dans une casserole avec le sucre, faites cuire à couvert pendant 10 à 15 minutes sur feu doux. Remuez de temps en temps.

Hors du feu ajoutez les 2 gouttes d'huile essentielle de mandarine.

Préparez le dessert : remplissez le fond des assiettes à dessert avec la marmelade d'abricots. A l'aide d'une cuillère prélevez de la pâte aux flocons. Sa consistance épaisse permet de façonner une demi-boule ou une petite quenelle de forme ovale que vous déposez dans l'assiette. Selon leur grosseur, disposez-en une à trois. Pour décorer, ajoutez un morceau de gousse de vanille.

Les bouchées de quinoa ne contiennent pas de sucre car le lait de riz apporte assez de douceur et cela s'équilibre avec l'accompagnement d'une marmelade de fruits (qui elle, est sucrée).

Gâteau marbré à la caroube

Un gâteau pour les goûters, pour accompagner les entremets ou pour le petit déjeuner… La caroube donne un goût entre cacao et chicorée, ce qui fait d'elle une alternative au chocolat pour ceux qui ne le tolère pas.

250 g de farine de petit épeautre (ou blé)
1 sachet de poudre levante
1/2 verre d'huile d'olive (50 g)
4 œufs
200 g de sucre de canne complet
20 g de flocons de quinoa
2 c. à s. de caroube en poudre

Mélangez les œufs entiers avec le sucre. Malaxez bien puis incorporez l'huile, la farine, la poudre levante et les flocons. En dernier, saupoudrez avec la caroube et remuer sans chercher à bien mélanger, de cette façon la pâte sera marbrée.

Versez dans un moule à manqué huilé et enfournez à thermostat 7-8 durant 30 minutes.

Porridge de flocons quinoa

Un petit déjeuner qui se prépare en 5 minutes ! A la fois léger et réconfortant, il pourra évidemment s'enrichir selon vos goûts : de raisins secs, de dattes coupées en petits bouts, d'amandes concassées, de noisettes...

Base pour 1 personne :
50 g de flocons de quinoa
15 cl de lait de riz
1 grosse c. à s. de purée d'amandes (ou pâte à tartiner)
facultatif : sirop de riz, sirop d'érable, sirop de dattes...

Versez les flocons dans une petite casserole, couvrez de lait végétal et faites chauffer sur feu doux jusqu'à absorption du liquide.

Hors du feu, ajoutez la purée d'amandes, je choisi souvent une pâte à tartiner à base d'amandes (qui sert aussi à préparer des boissons végétales) et dont le goût d'amandes est particulièrement savoureux. Dégustez chaud aussitôt.
Nappez comme vous le souhaitez avec un sirop pour sucrer un peu plus.

Si vous laissez refroidir le porridge, il va figer et vous pourrez le transformer en dessert, selon la recette page 66 (*Bouchées de quinoa vanille à la marmelade d'abricots*).

Croustilles au miel

Des bouchées gourmandises qui remplaceront avantageusement les envies de sucreries. Variante : vous pourrez également vous servir de ces croustilles pour réaliser un crumble minute sans cuisson. Versez une compote (abricots, pommes-coings, poires...) dans de larges verres et saupoudrez de croustilles, servez aussitôt.

50 g de miel
80 g de flocons de quinoa
50 g de purée d'amandes
1/2 c. à c. de cannelle en poudre (facultatif)

Mélangez les flocons de quinoa avec le miel, la purée d'amandes et la cannelle. Malaxez la préparation qui s'agglomère. Eparpillez plusieurs petits tas de façon irrégulière sur une plaque recouverte de papier cuisson.

Enfournez à thermostat 6-7 durant 7 à 10 minutes (dès que c'est doré, ôtez du four) et laissez refroidir. Brisez les morceaux de croustilles pour obtenir des bouchées à croquer.

La crème de quinoa

La crème de quinoa pour les sauces et les béchamels

La crème de quinoa est une farine dont les grains ont été précuits (généralement à la vapeur). Très fine, elle cuit donc très vite et permet d'obtenir des épaississements rapides (en quelques minutes !) Comme toute farine précuite elle peut faire office de liant pour confectionner des sauces ou pour épaissir un potage. On délaie quelques cuillerées de crème de quinoa avec un peu d'eau, de lait végétal ou de bouillon et on fait épaissir sur feu doux sans cesser de remuer.

La crème de quinoa dans les desserts et les crèmes du petit déjeuner

La crème de quinoa vous permettra de confectionner instantanément des bouillies et des crèmes pour les jeunes enfants. On délaie quelques cuillerées de crème de quinoa dans une soupe ou une purée de légumes et on fait épaissir sur feu doux en remuant.

Pour les crèmes-desserts des enfants ou pour les

petits déjeuners, vous pourrez utiliser un lait d'amandes où de noisettes, du chocolat ou de la caroube en poudre et sucrer avec un sirop d'érable ou de céréales.

Cette crème de quinoa est également intéressante pour réaliser des crèmes sans œufs, en la délayant simplement avec une plus ou moins grande proportion de lait végétal, vous obtiendrez des crèmes dont la consistance se rapprochera d'une crème pâtissière ou plus fluide, d'une crème anglaise.

Pâté à tartiner aux champignons

Pour les toasts à l'apéritif ou dans les sandwichs, voici un pâté tout à fait végétal, aux pistaches et aux champignons.

150 g de champignons de Paris nettoyés
margarine végétale
4 feuilles de basilic
1 pincée de sarriette et/ou une belle pincée de thym
2 c. à s. de crème de quinoa
1 pincée de poudre de betterave séchée (facultatif)
10 cl de lait de quinoa
1 pincée de muscade
1 douzaine de pistaches nature (non salées)

Pesez les champignons une fois qu'ils sont préparés, coupez-les en lamelles et faites-les revenir avec la valeur d'une cuillerée de margarine. Parsemez de thym. Lorsqu'ils sont un peu dorés, mixez-les avec les feuilles de basilic, la sarriette.

Dans une petite casserole, délayez la crème de quinoa avec la poudre de betterave (qui va donner une étonnante couleur rose et un léger goût très doux) et le lait de quinoa. Placez sur feu doux, salez, ajoutez la muscade râpée, remuez constamment jusqu'à obtention d'une crème très épaisse, ajoutez alors les champignons hachés et les pistaches. Versez dans un bol ou une verrine. Placez au frigo.

Soupe de fenouil à la crème de quinoa

Ce velouté de légumes est lié grâce à la crème de quinoa. On peut lui rajouter pour le parfum un filet d'huile d'olive dans l'assiette.

2 ou 3 bulbes de fenouils
4 c. à s. de crème de quinoa
huile d'olive

Coupez la base des fenouils et les bouts des côtes s'ils sont trop fibreux. Tranchez les fenouils en lamelles fines. Couvrez largement d'eau, comptez 3 centimètre au-dessus du niveau des légumes. Mettez à cuire sur feu doux.

Délayez dans un bol la crème de quinoa avec un peu de bouillon. Versez dans le bol mixeur du robot, ajoutez les fenouils et leur bouillon lorsqu'ils sont cuits, mixez.

Replacez la soupe quelques minutes sur le feu tout en remuant le temps que la crème de quinoa épaississe la soupe.

Flan couleur piment

Une terrine aux poivrons rouges qui se déguste aussi bien chaude que froide. On peut lui associer, pour rester dans la note une compotée de poivrons rouges ou des poivrons marinés.

2 poivrons rouges
1 carotte
1 c. à s. d'huile d'olive
2 branches de persil
2 pincées de gingembre en poudre, sel
1 c. à s. de crème de quinoa
3 œufs

Détaillez les poivrons en fines lamelles et coupez les carottes en rondelles. Procédez à une cuisson douce à l'étouffée avec une cuillerée d'huile d'olive et en ajoutant si nécessaire un demi-verre d'eau.

En fin de cuisson ajoutez les feuilles de persil, le gingembre en poudre et salez. Versez dans le bol mixeur du robot, mixez avec les œufs et la crème de quinoa.

Faites préchauffer le four. Huilez un moule à cake et versez la préparation, mettez à cuire 25 à 30 minutes à thermostat 7.
Laissez refroidir si vous souhaitez découper la terrine en tranches.

Gratin de poireaux en béchamel

La sauce qui nappe les poireaux est à la fois crémeuse grâce à la purée de noix de cajou et de saveur douce par l'utilisation d'un lait de riz. C'est une béchamel que vous pourrez utiliser aussi pour d'autres gratins : de blettes, chou-fleur, courge…

    une dizaine de blancs de poireaux
    75 g de crème de quinoa
    60 cl de lait de riz
    2 c. à s. de purée de noix de cajou
    2 c. à s. de chapelure ou 1 poignée de noix de cajou

Nettoyez les poireaux, réservez le vert pour une soupe. Coupez les poireaux en tronçons d'environ 3 centimètres et placez-les dans le panier d'une cocotte à fond épais pour une cuisson à la vapeur douce. Comptez environ 10 à 15 minutes.

Dans une casserole, délayez la crème de quinoa en ajoutant petit à petit le lait de riz, salez et faites épaissir sur feu doux sans cesser de remuer. Dès que la crème est bien épaisse et commence à mijoter, éteignez le feu. Ajoutez la purée de noix de cajou pour qu'elle fonde dans la sauce.

Etalez les poireaux dans un plat à four huilé, nappez-les de sauce béchamel et parsemez de chapelure ou de cajou concassées.

Tarte framboises et myrtilles

Le fond de tarte se prépare à l'avance, c'est une pâte à gâteau moelleuse sur laquelle vous étalerez ensuite la crème de quinoa, au dernier moment le tout sera recouvert de myrtilles et de framboises fraîches. Cette crème de quinoa est sans œufs et peut remplacer une crème pâtissière.

125 g de sucre de canne roux
125 g de margarine végétale
2 œufs
150 g de farine de riz
1 c. à s. de poudre levante (5 g)
5 gouttes d'huile essentielle de citron

Pour la crème :
30 g de crème de quinoa
30 g de sucre de canne roux
30 cl de lait de quinoa (ou de riz)
1 c. à s. de purée d'amandes blanches (ou de crème pour boisson aux amandes)

350 g de myrtilles et framboises

Dans un saladier, malaxez la margarine (sortie à l'avance pour qu'elle soit un peu ramollie) avec le sucre. Lorsque vous obtenez une belle crème ajoutez les œufs, puis les gouttes d'huile essentielle et enfin la farine et la poudre levante. Mélangez bien le tout.

Chemisez de papier cuisson un grand moule à tarte et versez la pâte. Enfournez à thermostat 6-7 pendant 25 à 30 minutes.

Dans une petite casserole, délayez la crème de quinoa avec le sucre et le lait de quinoa. Placez sur feu doux et remuez jusqu'à épaississement de la crème. Hors du feu, ajoutez alors la purée d'amandes. Etalez la crème sur le fond de tarte biscuité, puis disposez les fruits rouges : myrtilles et framboises. Dégustez aussitôt.

Anglaise au miel de romarin

La crème de quinoa permet de réaliser une crème qui accompagnera les crumbles, gâteaux au chocolat, charlotte de pain d'épices...

> 80 g de crème de quinoa
> 80 cl de lait de riz
> 2 grosses c. à s. de miel de romarin

Délayez la crème de quinoa en incorporant peu à peu le lait de riz. Placez sur feu doux et remuez fréquemment jusqu'à ce que la crème commence à mijoter légèrement. La crème ayant atteint une certaine onctuosité, ajoutez le miel et ôtez du feu. Goûtez, pour sucrer selon votre convenance avec le miel. Réservez au frais.

Le lait de quinoa

Le lait de quinoa se trouve tout prêt (comme les autres laits végétaux : soja, riz, amandes, noisettes, épeautre…) conditionné en brique. Il s'agit en fait d'une boisson à base de quinoa qui n'a rien à voir avec un produit lacté si ce n'est sa couleur et son utilisation.

De texture onctueuse, on peut le privilégier pour une utilisation à froid : il convient parfaitement pour napper les mueslis, les taboulés sucrés (au quinoa !), réaliser des milk-shake végétaux… toutes ces utilisations où on appréciera particulièrement son onctuosité.

C'est une boisson légère où l'on retrouve la saveur particulière de cette petite graine originaire des Andes.

Le goût du quinoa peut également convenir dans la préparation de crèmes pour le dessert et s'incorporer dans les pâtes à clafoutis ou à crêpes.

Très digeste et ne contenant pas de gluten, ce lait de quinoa est bien accepté par les personnes qui connaissent des difficultés digestives ou des allergies alimentaires.

Muesli de quinoa aux abricots secs

Selon le temps dont vous disposez le matin, le quinoa pourra se faire cuire la veille. Les abricots secs et les dattes coupées en petits morceaux font comme des fruits confits et sucrent naturellement le taboulé.

Base pour 2 personnes :
250 g de quinoa déjà cuit nature, non salé (recette page 15)
6 à 8 abricots secs
6 dattes
15 cl de lait de quinoa
facultatif : sirop de riz et quelques amandes émondées

Mélangez le quinoa avec les abricots secs coupés en petits morceaux. Dénoyautez les dattes et coupez-les en rondelles. Rajoutez-les dans le quinoa. Versez dans des bols et nappez avec plus ou moins de lait de quinoa selon les goûts.

Sucrez si besoin avec du sirop de riz.

Quinoa du petit déjeuner

Un petit déjeuner à se préparer pour se faire du bien. Pour les petits matins où on peut prendre le temps de couper et de cuire quelques fruits de saison, un petit déjeuner très cocooning....

Base pour 2 personnes :
1 verre de quinoa
2 verres d'eau
1 pomme, 6 pruneaux
1 verre de 15 cl de lait de quinoa
1 orange
3 ou 4 c. à s. de sirop de riz

Dans une casserole, versez le quinoa et deux volumes d'eau, ajoutez les pommes épluchées et coupées en tranches, les pruneaux.

Grattez la peau de l'orange à l'aide d'une petite râpe pour en recueillir la valeur de 2 pincées de zeste, que vous rajoutez dans la casserole.

Faites cuire une quinzaine de minutes à feu très doux et à couvert pendant environ 15 minutes. Avant d'éteindre le feu, rajoutez le lait de quinoa, mélangez.
Versez dans des coupes, nappez de sirop de riz si nécessaire.

Amandine aux reines-claudes

*Ce clafoutis aux amandes est comme imbibé d'un jus sucré,
celui des reines-claudes.*

    80 g de farine de quinoa
    120 g de poudre d'amandes
    100 g de sucre de canne complet
    3 œufs
    25 cl de lait de quinoa
    500 g de prunes (reines-claudes)

Dans un saladier, versez la farine de quinoa, la
poudre d'amandes, le sucre de canne. Mélangez
avec les œufs et délayez en ajoutant le lait de quinoa.

Faites préchauffer le four à thermostat 7.

Coupez les reines-claudes en quartiers et dénoyautez-les. Ajoutez-les à la pâte en remuant bien avant
de verser dans un plat à four (style moule à manqué)
en verre ou en porcelaine bien huilé. Enfournez dans
le four chaud durant 30 minutes.

Le quinoa soufflé

Un mélange à muesli

*Nature, sucré avec du miel ou enrobé d'un sirop de céréales,
selon les marques, le quinoa soufflé permet de se préparer
des mueslis fins et légers.*
*Concoctez-vous à l'avance le mélange à votre goût pour un
muesli qui sera tout prêt à utiliser.*

1 sachet de 150 g de quinoa soufflé nature ou sucré
2 poignées d'amandes effilées ou des noisettes
1 grosse poignée de raisins secs
1 poignée de petits cubes de pommes séchées
3 c. à s. de graines de sésame et / ou des graines de tournesol
1 poignée de noix de coco râpée (facultatif)
4 c. à s. de flocons de quinoa (facultatif)

Versez le quinoa soufflé dans une boîte hermétique
et ajoutez :
- les amandes effilées : faites-les dorer quelques
secondes dans une poêle à sec.
- ou des noisettes : faites-les dorer dans une poêle
à sec et ensuite passez-les dans un mini-mixeur
pour les hacher grossièrement.

- les raisins secs
- les petits cubes de pommes séchées ou si vous n'en trouvez pas, prenez des lamelles de pommes séchées et coupez-les aux ciseaux en petits bouts.
- le sésame et / ou les graines de tournesol
- la noix de coco râpée préalablement dorée à peine quelques secondes dans une poêle à sec.
- les flocons de quinoa

Il ne vous restera plus qu'à accompagner votre muesli d'un fromage blanc végétal ou de le napper avec du lait de quinoa...

Crumble express aux pêches

Une compote de fruits servie dans des verres, surmontée d'un croquant crumble qui ne nécessite aucune cuisson : un mélange de quinoa soufflé et de noisettes grillées.

8 pêches jaunes
4 c. à s. de sirop d'agave (ou de miel liquide)
2 verres de quinoa soufflé sucré
1/2 verre de noisettes

Epluchez les pêches, dénoyautez-les et coupez-les en quartiers dans une casserole à fond épais (conservez un quartier pour le décor). Couvrez et placez sur feu très doux. Faites cuire 15 à 20 minutes.

Lorsque les pêches sont cuites, sucrez (si besoin) avec du sirop d'agave et remplissez des coupes à dessert ou de larges verres.

Laissez refroidir ou dégustez tiède.

Faites dorer les noisettes pendant quelques instants dans une poêle à sec. Ensuite passez-les dans un mini-mixeur pour les hacher grossièrement. Mélangez les noisettes avec le quinoa soufflé.

Au dernier moment, recouvrez la compote de pêches avec une couche d'environ un centimètre de quinoa soufflé et de noisettes. Faites glisser un filet de sirop d'agave pour faire briller et décorez d'une très fine tranche de pêche.

Charlotte au pralin de quinoa

Voici une charlotte vite réalisée, sous les biscuits à la cuillère, la crème façon crème au beurre est à base de yaourt et de purée de noisettes, légère et très fondante. Vous pourrez adopter cette recette de crème pralinée pour réaliser des gâteaux fourrés, garnir des choux à la crème ou des crêpes roulées avec coulis au chocolat…
Nappée de sauce au chocolat, la charlotte est recouverte d'un mélange de pralin et de quinoa soufflé au miel.

10 à 12 biscuits à la cuillère (biscuits Commingeois)
5 c. à s. de quinoa soufflé sucré
5 c. à s. de pralin

Pour la crème au beurre de noisettes :
2 yaourts de soja nature (de 120 g chacun)
120 g de purée de noisettes bien fluide
40 g de sirop d'agave

Pour la sauce au chocolat :
100 g de chocolat noir
75 ml de lait de riz

Préparez la crème :
Dans un saladier, versez les yaourts de soja, ajoutez la purée de noisettes complètes bien fluide, remuez énergiquement et incorporez le sirop d'agave. Placez au frigo au moins 30 minutes.

Tapissez un moule à charlotte rond (diamètre 17 cm) sur le fond et les côtés avec les biscuits à la cuillère. Remplissez à moitié de crème, posez 2 ou 3 biscuits, parsemez de 3 cuillerées de pralin, versez le restant de crème. Disposez une couche de biscuits, tassez un peu et placez au frigo une nuit.

Préparez la sauce au chocolat :
Dans une petite casserole, faites fondre le chocolat noir avec le lait de riz. Remuez sur feu très doux. Versez sur la charlotte démoulée en laissant couler le chocolat fondu sur les biscuits.
Mélangez le quinoa et le pralin, parsemez sur la charlotte. Servez aussitôt.

Gourmandises à croquer

Du chocolat fondu et des petites billes de quinoa (soufflé et caramélisé) pour façonner des truffes que l'on conservera au frigo. A déguster rapidement pour éviter que le quinoa soufflé ne se ramollisse de trop.

Pour une douzaine de truffes :
60 g de chocolat noir
2 c. à s. de crème de soja liquide
1 c. à s. de liqueur d'orange (ou autre alcool)
20 g de quinoa soufflé sucré au sirop de céréales
1 poignée d'amandes concassées

Cassez le chocolat en morceaux dans une petite casserole, ajoutez la crème de soja liquide. Faites fondre en remuant sur feu très doux.

Hors du feu, ajoutez la liqueur d'orange et les amandes concassées, mélangez et sans attendre que le chocolat refroidisse, incorporez les petites billes de quinoa soufflé.

La préparation est à présent tiède : prélevez une cuillère du mélange et façonnez une petite boule avec les doigts, de la taille d'une grosse cerise.
Variante : on peut aussi préparer une ganache au chocolat et rouler des petites billes de pâte de truffe dans les grains de quinoa soufflés caramélisés.

Le quinoa germé

La pré-germination avant cuisson

Le quinoa est une petite graine qui germe facilement. Vous pouvez simplement mettre le quinoa à tremper dans un saladier, à peine recouvert d'eau pendant une journée (ou seulement quelques heures selon la température ambiante et la saison). Cela suffit pour voir les petits germes sortir, ce qui décuple les éléments nutritifs. Procédez ensuite à une cuisson douce, elle sera à peine plus courte.

Les graines germées

Si vous souhaitez goûter à la saveur des petites graines germées, il suffit de prévoir 1 ou 2 jours de plus. Vous franchirez facilement le pas de les faire pousser vous-mêmes, d'autant que petits et grands y prennent vite plaisir !
Achetez du quinoa biologique et pour commencer le plus simplement possible, utilisez un large bocal de verre type pot à confiture. Prévoyez que les graines une fois germées vont prendre du volume. En général, 2 ou 3 cuillerées à soupe de graines dans un bocal suffisent largement.

Placez-les dans le pot en verre et couvrez-les complètement d'eau. Posez un morceau de mousseline très fine de coton (tulle, gaze…) sur le pot et faites-le tenir avec un élastique. Comme il s'agit de toutes petites graines, ce sera très utile pour les rincer et les égoutter facilement.

Laissez ainsi 2 à 3 heures puis rincez sous l'eau courante au travers de la mousseline. La pression de l'eau permet de faire un soigneux rinçage.
Egouttez les graines et laissez-les dans leur bocal avec seulement un film d'eau. Elles ont juste besoin d'être dans une atmosphère humide. Tournez le bocal de façon à faire adhérer les graines de quinoa aux parois.
Posez le bocal un peu penché pour éviter une eau stagnante et pour que l'air circule.

Rincez les graines au moins deux fois par jour, matin et soir, plus souvent s'il fait chaud et si vous avez l'impression que le bocal s'assèche. Il faut toujours que les graines trouvent de l'humidité mais sans pour autant en être saturées. Il est important aussi qu'elles se trouvent dans une atmosphère protégée d'où l'intérêt d'une mousseline ou d'un couvercle percé de petits trous.

Le temps de germination du quinoa est entre 2 et 3 jours, mais entre la percée du petit germe et l'apparition des premières et minuscules feuilles d'une jeune pousse, il peut y avoir 2 à 6 jours. La température idéale se situe autour de 20°C. Placez les bocaux dans un endroit clair et lumineux, tout en étant à l'abri d'un rayonnement solaire direct.

Dans nos cuisines, vous remarquerez que c'est souvent au printemps - et c'est logique - que les petites graines germent le plus facilement. C'est sans doute le meilleur moment que nous dicte la nature pour en consommer.

Déjà naturellement riche en vitamine C, le quinoa ainsi germé est l'idéal pour bénéficier de cet apport de la façon la plus profitable qui soit (sans cuisson).

Une fois obtenues, les graines germées se consomment rapidement, vous pouvez stopper leur évolution en les conservant au frais frigo tout en veillant à ce qu'elles ne stagnent pas dans une atmosphère humide et non aérée.

Différents systèmes existent pour les faire pousser soi-même : bocaux à germer, germoirs à étages, germoir avec arrosage intégré et automatique... du plus basique au plus perfectionné, pour une utilisation facile selon la place que vous ferez aux graines germées dans votre alimentation.

Vous trouverez même des graines germées de quinoa toutes prêtes à consommer dans le rayon frais des magasins bio, elles sont présentées en barquettes. Pour les goûter et les découvrir, c'est la bonne solution !

Le quinoa germé se consommera exclusivement cru pour profiter de ses qualités nutritionnelles, vous en rajouterez dans les salades et avec les crudités.

Le quinoa germé est l'une des petites graines les plus faciles à intégrer au petit déjeuner, légères et croquantes, on peut les mélanger tout simplement à un yaourt végétal au lait de soja ou de riz.

Salade fraîcheur et quinoa germé

Feuilles tendres d'épinards et carottes râpées pour une assiette en couleur parsemée de graines germées de quinoa. La sauce à salade contient du jus d'umé. Celui-ci s'utilise comme un vinaigre, fabriqué à partir de petites prunes japonaises (les umebosis), il a une très jolie couleur rose et un parfum fleuri.

1 petit bol de jeunes feuilles d'épinards
4 jeunes carottes
4 c. à s. de quinoa germé
2 c. à s. de graines de tournesol
1 poignée de persil

Pour la sauce :
2 c. à s. de levure de bière maltée
6 c. à s. d'huile de colza
2 c. à s. de jus d'umé

Lavez les jeunes feuilles d'épinards. Brossez et râpez les carottes.

Préparez la sauce :
Versez le jus d'umé dans une tasse, incorporez les cuillerées d'huile, une à une. Ajoutez la levure maltée et remuez. Cette sauce n'a pas besoin de plus d'assaisonnement, le jus d'umé étant déjà très salé.

Quinoa

Préparez les assiettes de crudités en disposant les carottes râpées entourées de quelques feuilles d'épinards. Hachez le persil finement.
Sur les carottes, saupoudrez de persil et parsemez de quinoa germé. Disposez les graines de tournesol sur les épinards. Nappez de sauce.

Petit déjeuner vitalité

Pour bien démarrer la journée : la vitalité des graines germées associée à la douceur de l'amasaké...
L'amasaké est une préparation à base de riz complet dont le processus de fabrication a permis une réaction enzymatique qui lui a donné un goût doux et sucré, cela ressemble un peu à un entremets au riz. On le trouve en pot de verre et il se conserve quelques jours au frigo.

Base pour 2 personnes :
60 g de crème de riz
30 cl de lait de soja ou de riz
4 c. à s. d'amasaké
2 c. à s. de graines de tournesol
3 à 4 c. à s. de quinoa germé

Dans une casserole, délayez la crème de riz en ajoutant peu à peu le lait végétal. Placez sur feu doux en laissant frémir 5 minutes jusqu'à épaississement. Remuez constamment. Hors du feu, ajoutez l'amasaké qui va sucrer tout en douceur et les graines de tournesol.

Versez dans des coupes et parsemez de graines germées.

Tableau de correspondances pour le Québec

Pour éviter de peser les ingrédients, j'ai souvent utilisé les verres et les bols. Voici les correspondances de ces mesures avec les tasses américaines :

1 verre = 150 ml = 2/3 de tasse
1/2 verre = 75 ml = 1/3 de tasse
1 bol = 500 ml = 2 tasses
1 c. à c. = 5 ml = 1 c. à thé
1 c. à s. = 10 ml = 2 c. à thé

D'autres correspondances utiles pour mes recettes :

200 g de quinoa = 1 tasse
120 g de quinoa cuit = 1 tasse
130 g de farine de quinoa = 1 tasse
120 g de flocons de quinoa = 1 tasse
40 g de quinoa soufflé = 1 tasse

130 g de crème de riz = 1 tasse
150 g de farine complète d'épeautre = 1 tasse
170 g de farine de blé bise = 1 tasse
130 g de farine de riz = 1 tasse
200 g de sucre blond = 1 tasse
120 g de sucre de canne complet = 1 tasse
90 g de noix de coco râpée = 1 tasse
100 g de poudre d'amandes = 1 tasse
250 g de purée de châtaignes nature = 1 tasse
150 g de raisins secs = 1 tasse
140 g d'amandes entières = 1 tasse
130 g de noisettes entières = 1 tasse
220 g d'huile d'olive = 250 ml = 1 tasse